U0483333

静电超人

⑤ 智斗盗窃团

[加拿大]阿兰·M.贝杰隆 / 著
[加拿大]桑帕尔 / 绘
余 轶 / 译

天津出版传媒集团
新蕾出版社

图书在版编目（CIP）数据

智斗盗窃团 /（加）阿兰·M.贝杰隆
(Alain M. Bergeron) 著；(加) 桑帕尔 (Sampar) 绘；
余轶译. -- 天津：新蕾出版社，2023.11
（静电超人；5）
ISBN 978-7-5307-7616-2

Ⅰ.①智… Ⅱ.①阿…②桑…③余… Ⅲ.①儿童故事-图画故事-加拿大-现代 Ⅳ.①I711.85

中国国家版本馆 CIP 数据核字(2023)第 147839 号

Original French title: Capitaine Static – La Bande des trois
Author: Alain M. Bergeron
Illustrated by: Sampar
Copyright © 2012, Editions Québec Amérique inc.
Simplified Chinese translation copyright © 2023 by New Buds Publishing House (Tianjin) Limited Company arranged through Wubenshu Children's Books Agency.
ALL RIGHTS RESERVED
津图登字：02-2022-082

书　　名	智斗盗窃团　ZHI DOU DAOQIE TUAN
出版发行	天津出版传媒集团 新蕾出版社
	http://www.newbuds.com.cn
地　　址	天津市和平区西康路 35 号（300051）
出 版 人	马玉秀
电　　话	总编办 (022)23332422 　　发行部 (022)23332351　23332679
传　　真	(022)23332422
经　　销	全国新华书店
印　　刷	天津海顺印业包装有限公司
开　　本	889mm×1194mm　1/32
字　　数	35 千字
印　　张	2
版　　次	2023 年 11 月第 1 版　2023 年 11 月第 1 次印刷
定　　价	22.00 元

著作权所有，请勿擅用本书制作各类出版物，违者必究。
如发现印、装质量问题，影响阅读，请与本社发行部联系调换。
地址：天津市和平区西康路 35 号
电话：(022)23332677　邮编：300051

静电⚡超人
绝密档案

名字：查理·西马

真实身份：一名普通的小学四年级男孩

装备

|  尼龙材质的钢蓝色超人服 |  红色披风 |  红色眼罩 |  黄绿相间的羊毛拖鞋 |

超能力：静电攻击

粉丝团：电粉团

超能力秘密来源：拖着脚走路

温馨提示
！千万不要让静电超人碰衣物柔顺剂！！

警 告

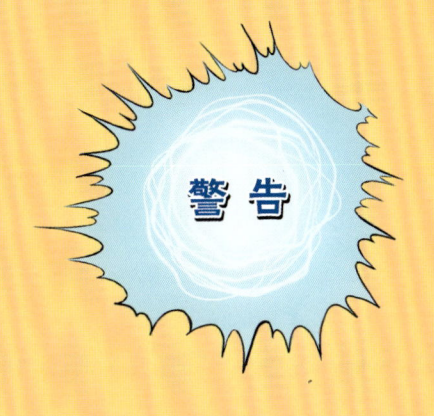

谁摩擦,谁起电!

——静电超人的格言

刚买来的电视机，遥控器就不见了。

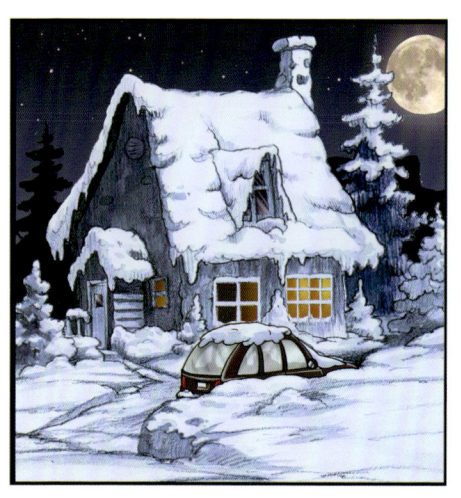

啊！曲棍球比赛！

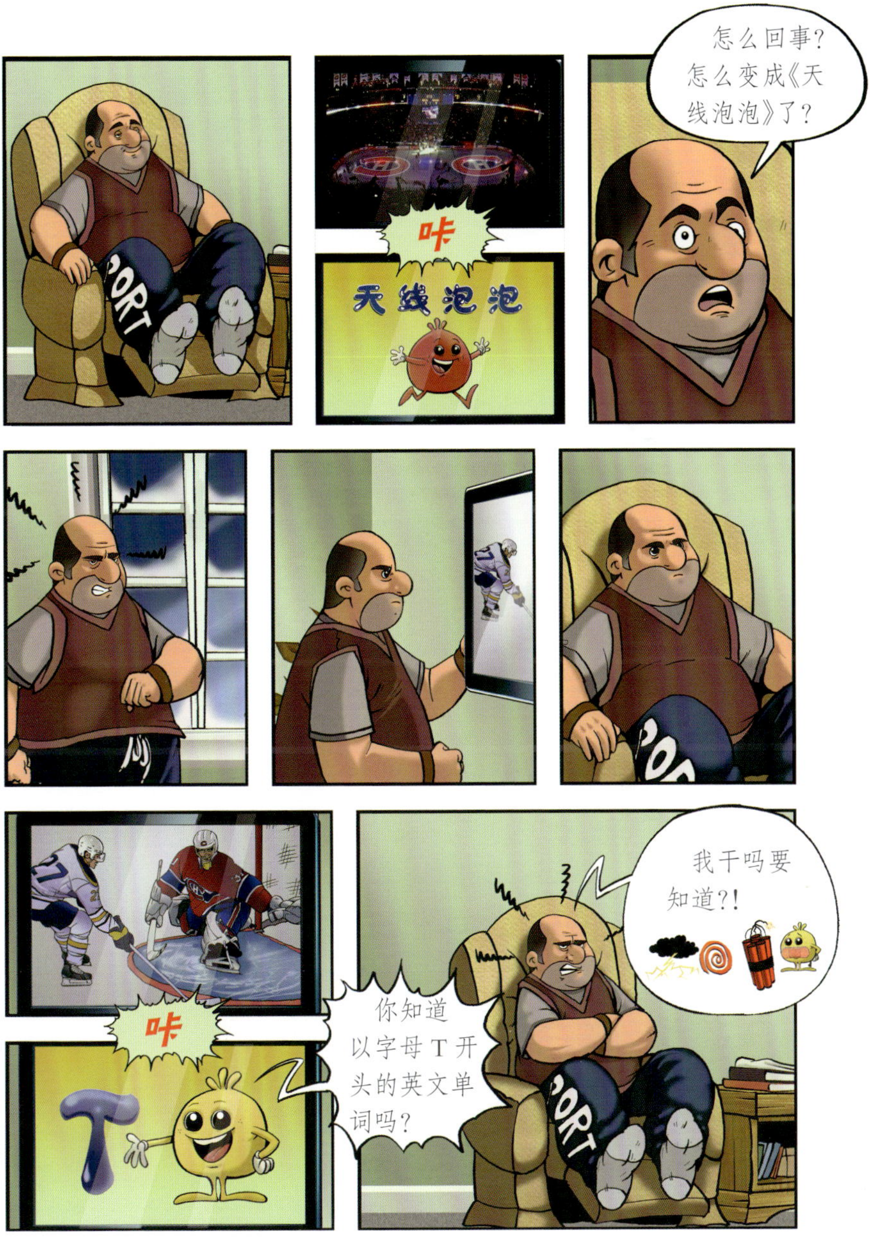
咔
天线泡泡
怎么回事？怎么变成《天线泡泡》了？
咔
你知道以字母T开头的英文单词吗？
我干吗要知道？！

亲爱的,客厅里有动静。

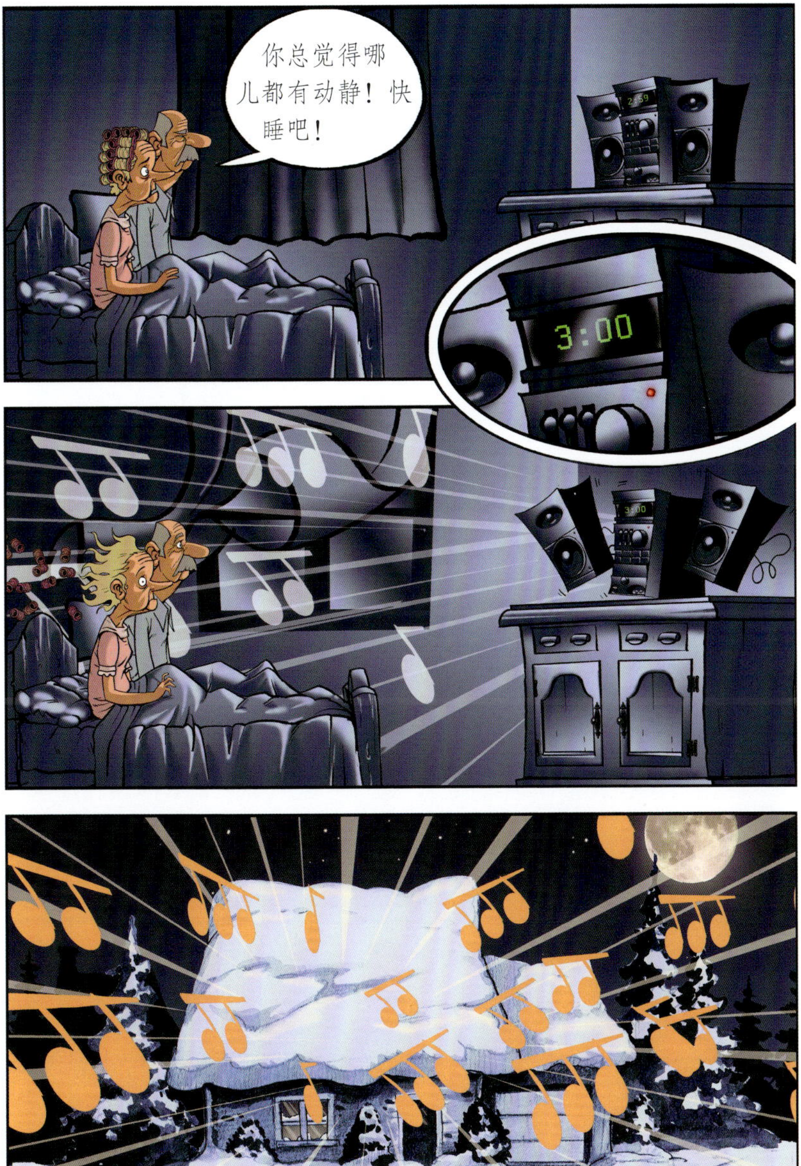
你总觉得哪儿都有动静！快睡吧！
3:00

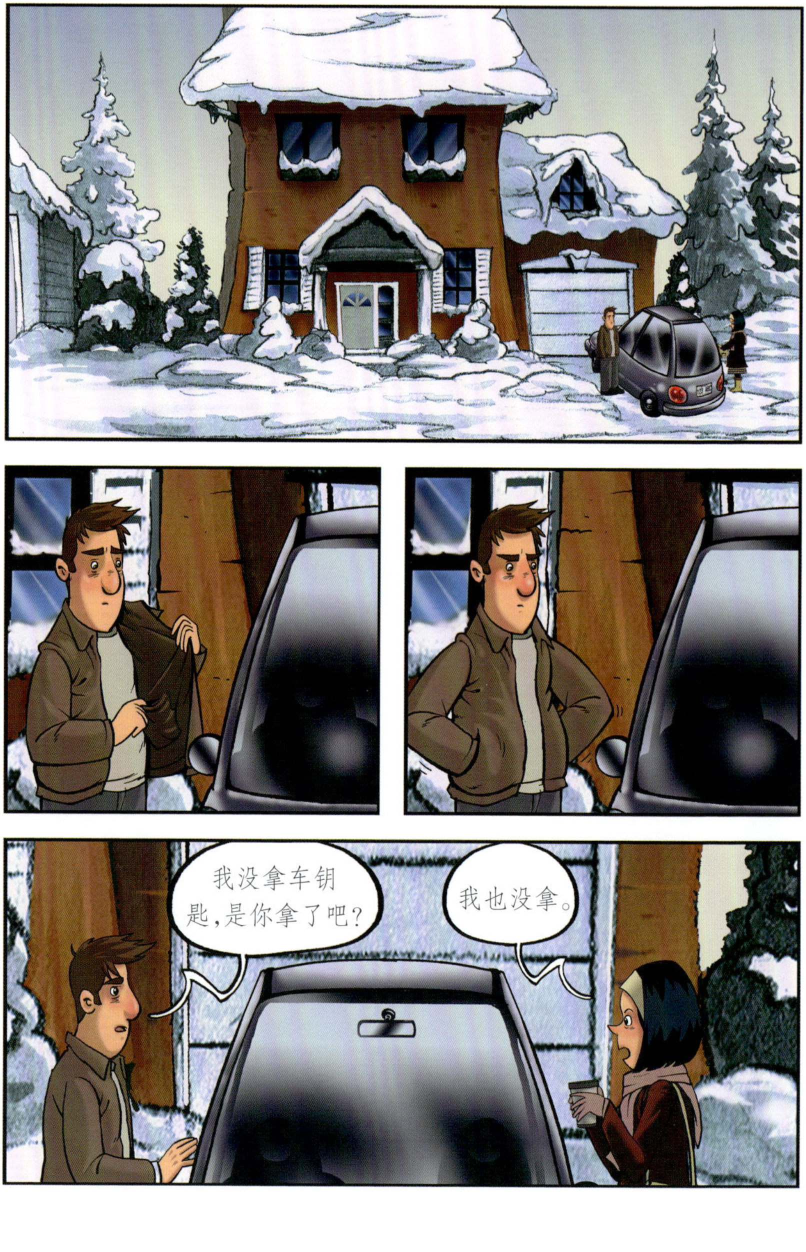
我没拿车钥
匙，是你拿了吧？
我也没拿。

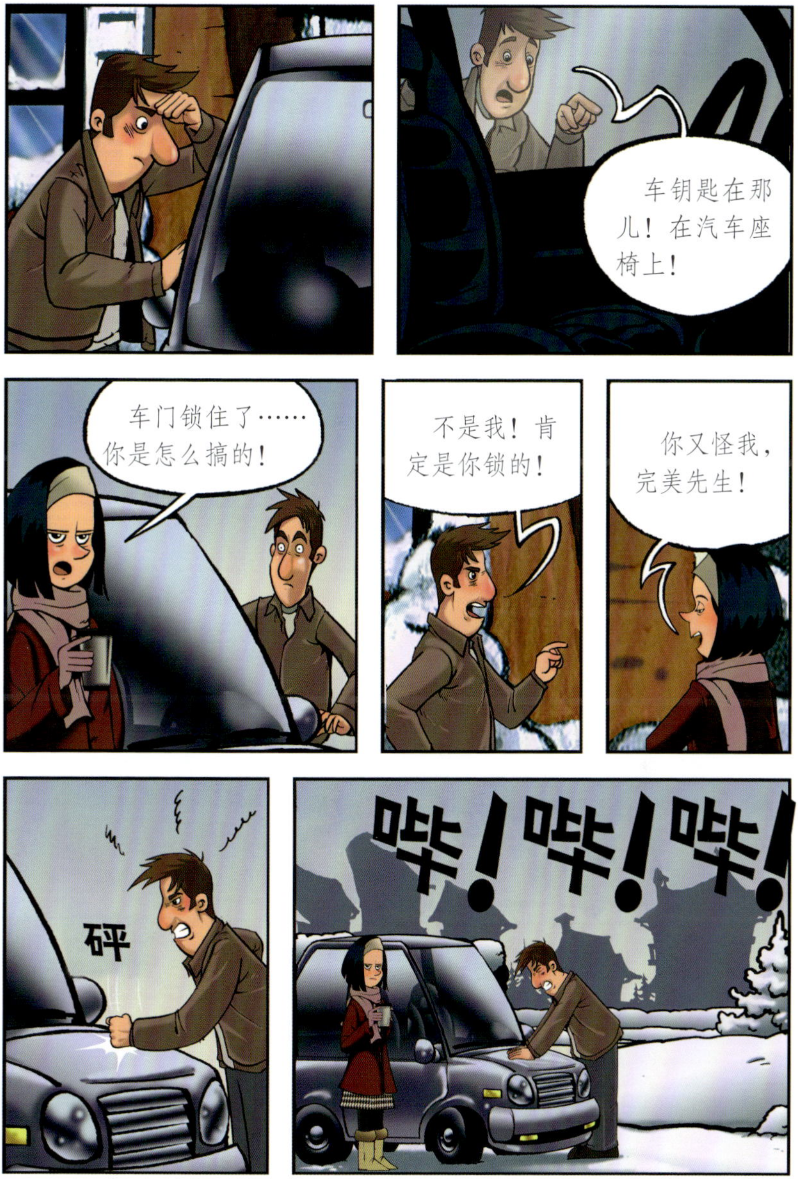
车钥匙在那儿！在汽车座椅上！
车门锁住了……你是怎么搞的！
不是我！肯定是你锁的！
你又怪我，完美先生！
砰
哔！哔！哔！

第 1 章

我试图客观分析当下的情况：我当着全班同学的面做演讲，却发现裤子拉链没拉上；我去打流感疫苗；我在一场大雪过后，为罗埃尔夫人打扫她那宽敞的庭院。

有什么比这些情况更糟糕的吗？有……

这才是最糟糕的！是奇耻大辱！超人或蜘蛛侠的故事里，从来没有说过当他们还是孩子时，他们的父母要出去玩，会叫一个保姆来照看他们！

消息一旦传开，大家都会排着队，等着照顾我。他们会争先恐后地请我父母去看电影、下餐馆，就为了得到照顾我的机会。

我这个年龄的男孩,对与一个陌生的姐姐相处并不感兴趣……

30分钟后,佩内洛普带着她的弟弟弗雷德来到我家。没错,与最好的朋友相处,才是我这个年龄的男孩喜欢的事。

我没有穿静电超人服。妈妈在我的披风上发现了一块污渍——没有什么污渍能逃过我妈妈的眼睛,于是她把我的超人服和拖鞋都拿去清洗了。

弗雷德陪着我,你不介意吧?我妈妈刚给他的房间刷了漆,油漆味对他来说有点儿重。

静电超人,你知道我选了哪种颜色的油漆吗?

蓝、红、黄三色!是我最喜欢的英雄的超人服的颜色!

如果以后……不对,去掉"如果",以后,等人们建起一座以我为主题的博物馆,我希望由弗雷德来担任馆长,因为他是我的头号粉丝。

门铃声打断了我关于未来的畅想。我打开门——保姆来了。

我没穿超人服,她能认出我来吗?没必要担心!只要她能抑制一下见到我时的激动心情即可。有时,这种崇拜之情会让我感到尴尬,尤其是当佩内洛普在场时。

这里是西马家吗?

是查理·西马…… 你好!你就是我要照看的人吧?

没错,算你走运,我就是查理·西马,今晚你要照看的人。我跟你自我介绍没?

我叫查理·西马,我的绰号是……

你们家真是漂亮又温馨。

没错,这就是我的家,我是查理·西马……

我有点儿失望。她好像还没有搞明白我是谁。要不,请弗雷德帮她一把?我朝弗雷德使了个眼色。他立刻明白了我的意思,于是走上前。

谢谢弗雷德的破冰之举,为我们消除了尴尬。我原以为她会开心到尖叫,流下幸福的泪水,为能照看像我这样的超级英雄而倍感自豪。可是,我错了!

该不会我们一转身你就走了吧？
不，怎么会呢？
需不需要帮他洗澡？洗澡的话得加收5美元……
不用，他干净得像一张白纸。
要不要给他讲睡前故事？要不要唱摇篮曲？他房间里有小夜灯吗？你们有没有装宝宝监视器？
监视器？宝宝？
你们是在说我吗？！难道你们给我装了监视器？！
当然没有……
有的，有的，就隐藏在他的书柜里。
我们大概晚上11点到家。

爸爸妈妈关上门，出发了。此时大约7点。我快速带领罗莎莉参观了一下房间。此时我还不知道，这将是一个漫长的不平静之夜……

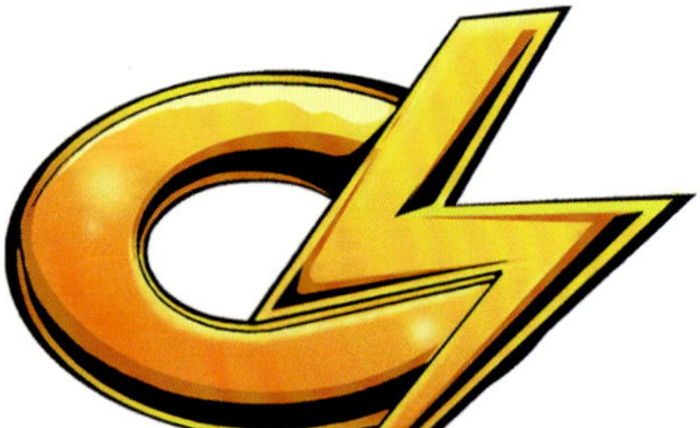

第 2 章

爸爸妈妈出门后,我想保姆应该会集中精力照顾我。她应该向我提议:"著名的静电超人,接下来我们做点儿什么好呢?"

可罗莎莉只是看着我、佩内洛普和弗雷德,好像在研究我们。然后,她从裤子口袋里掏出手机,拨号,开始和电话那头儿的人说话。

喂!我到现场了……

没错,他们走了……

房子很漂亮,我得照看三个毛孩子……

没问题,再见……

三个毛孩子?这太侮辱人了!佩内洛普提高了警惕。应该说,所有与我在交往中有异常言行的人,都会让她提高警惕。

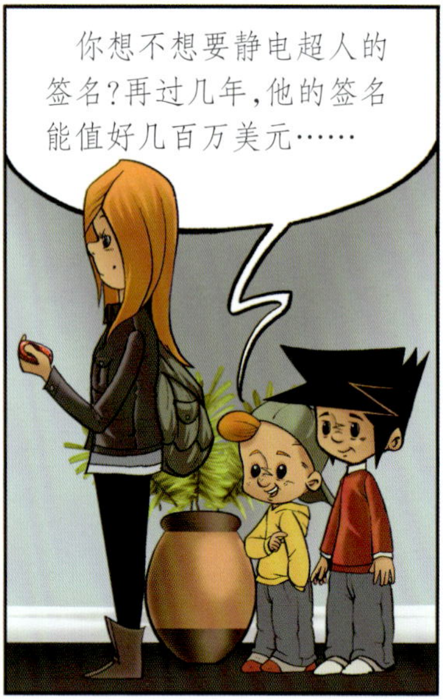

亲爱的弗雷德，他有点儿夸张了。现实一点儿吧……我的签名能值几千美元。

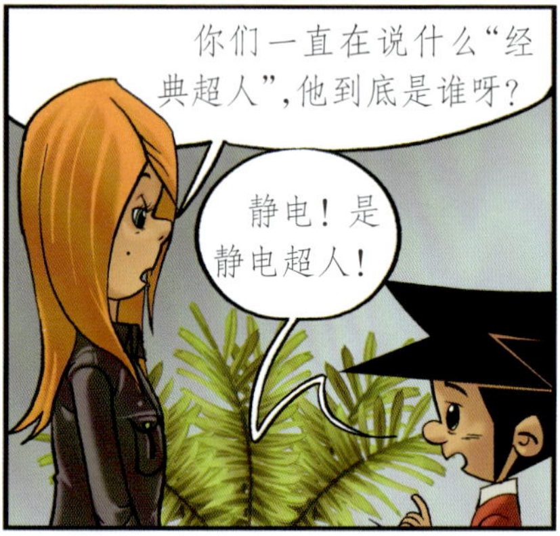

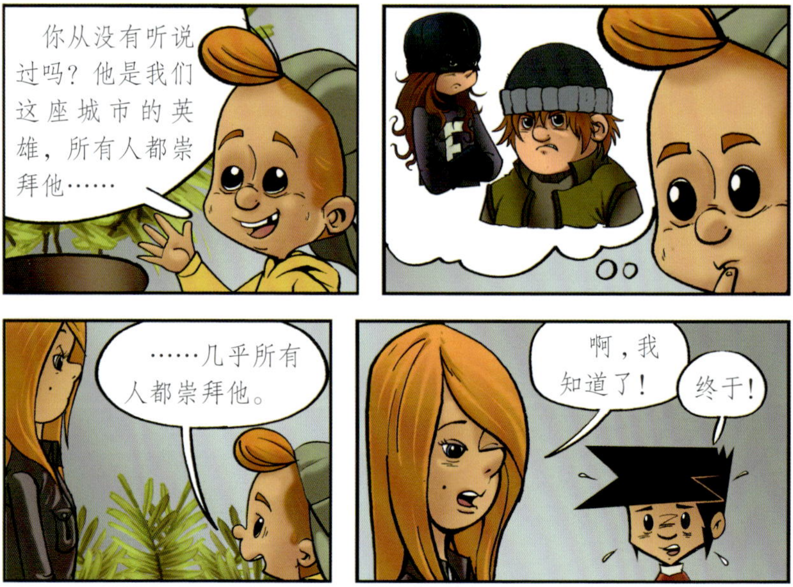

> 是不是漫画或动画片里的人物？我听表妹提起过……

> 看样子，有必要重新考虑下这个诱人差事的招聘标准。

为了说服罗莎莉，我冲进洗衣间，从烘干机里拿出超人服和拖鞋。一分钟后，我以静电超人的形象走向客厅。罗莎莉、佩内洛普和弗雷德都在客厅里。

> 当当！

> 你这么快就换上睡衣了？想睡觉了吗？

- 这是我的超人服!
- 是吗?
- 好的,谢谢你告诉我……
- 晚安。
- 我不是吓唬你们,有人发现一个小偷儿在附近转悠。
- 我表妹刚刚特意打电话提醒我……
- 那得赶紧报警!
- 报什么警?静电超人会抓住小偷儿的!
- 汪汪!

我开始心跳加速。弗雷德靠向我。佩内洛普握紧了拳头，咬紧了牙关。罗莎莉用身体为我们筑起一堵保护墙。

嘭！
门被撞开了！他们闯进来了！
他们？你怎么知道是“他们”？
我姐姐说，发现了好几个小偷儿……
姐姐？你刚才不是说表妹吗？
你们都给我听好了：不许离开这个房间，明白吗？其余的事交给我来处理！

"那些小偷儿怎么办？我可以给你帮忙。"

"这对一个孩子来说太危险了。我要对你们负责，给这些小偷儿一点儿颜色瞧瞧！"

我失望至极，觉得自己就像大乔的脑子一样没用。罗莎莉总是把我当成普通男孩……

"我再强调一次：无论如何都不要离开这里！"

走廊里响起她远去的脚步声。突然，我听到打闹声，然后是女孩的叫喊声！

"放开我！不！"

"他们抓住罗莎莉了……"

"那我们怎么办？"

第 3 章

保姆罗莎莉被闯入我家的小偷儿俘虏,而我的父母还在电影院享受二人世界;佩内洛普、弗雷德和我都困在我的房间里,像被关禁闭的小孩儿。这让我想到了什么……

啊!我妈妈还把我当成小宝宝呢!

我倒觉得这挺可爱的……

还是说正经事吧！超级英雄可不是当场外观众的料。我必须采取行动。罗莎莉不在，我就不受她的管控。接下来，由我来对付这些小偷儿！对了，在此之前，我是不是应该……

我突然感到一阵酥麻。

哇哈！

伟大的静电超人在此！我们去营救罗莎莉吧！

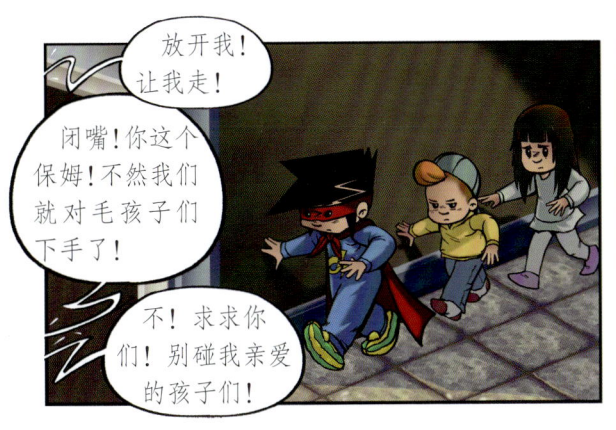

我周身血液沸腾！我一定要让这些小偷儿付出惨重的代价！不过，"我亲爱的孩子们"，罗莎莉也太激动了吧……我站在墙角，偷偷朝客厅瞄了一眼。眼前的景象令我惊掉下巴！

客厅的茶几上摆满了从我家和其他地方偷来的物品：珠宝、钞票、电脑……但最令我意外的是罗莎莉！

佩内洛普也看到了这一场景，得出与我一样的结论："保姆"罗莎莉就是入室盗窃团伙中的一员！她的虚伪令我愤怒——好吧，这都是她自找的！

!?!

有小偷儿!

你们三个不是应该好好待在房间里吗?小心我告诉你们的父母,说你们不听话哟!坏孩子是会受到惩罚的!

你们这些坏人才会受到惩罚呢！
静电超人不会放过你们的！
谁摩擦，
谁起电！
我怕，我怕，
我好怕呀！
哈哈哈！哈哈哈！
没有人可以小
瞧静电超人！

我稍微向右跨了一步，找到最佳射击角度。只要一股静电就能把他们制服。

太好……

我的手肘撞到了桌子……

整个右手臂都变僵硬了。

我的右手臂动弹不得了。

　　奇怪，我失去了那股熟悉又难忍的酥麻感。以往，在紧急情况下，酥麻感总是会出现。

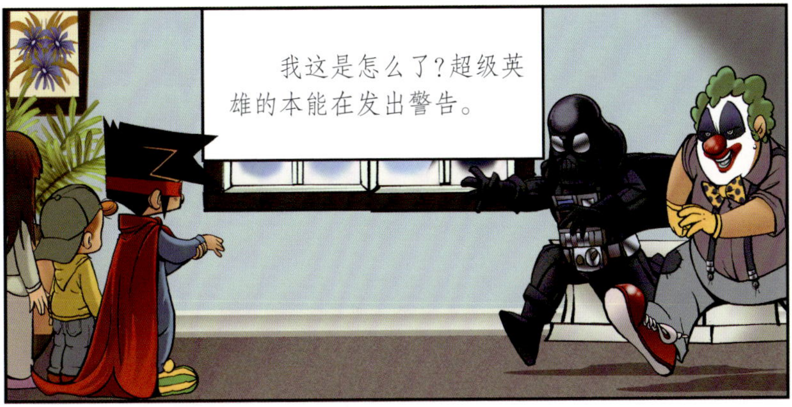
我这是怎么了?超级英雄的本能在发出警告。

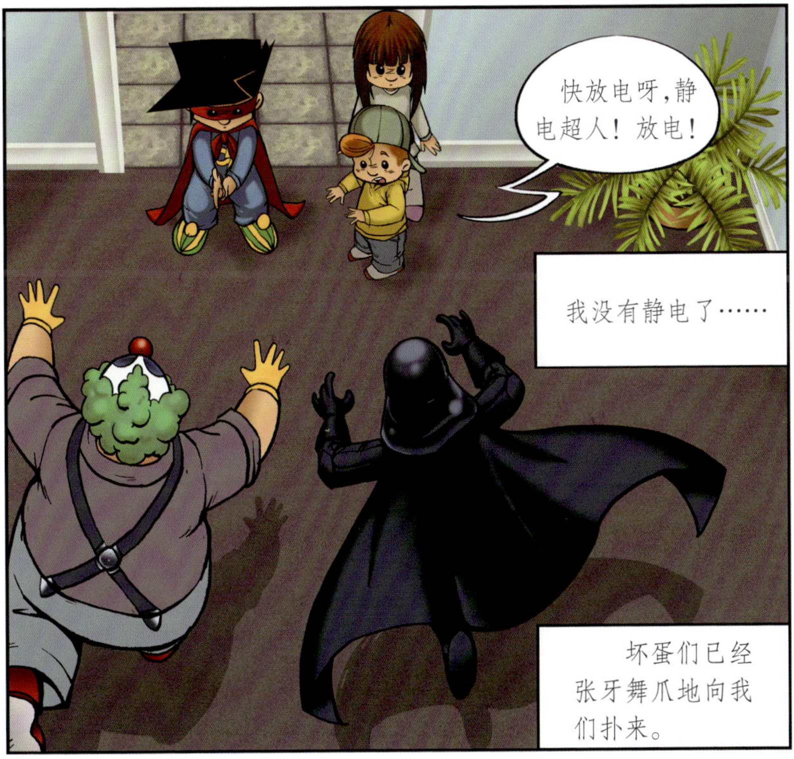
快放电呀,静电超人!放电!
我没有静电了……
坏蛋们已经张牙舞爪地向我们扑来。

第4章

我无电可放,就因为刚刚撞到了手肘。我又变回了那个手无缚鸡之力的普通男孩查理·西马。这是不是意味着,手肘就是我的能量聚集点,也就是我的命门呢?关于这一点,我一定要找时间跟范·德·格拉夫好好探讨一下。

原来你就是静电超人……

你听说过我?

是的,我有一个又胖又笨的表弟,他时常来我家过夜。晚上他会做噩梦,喊你的名字,然后尿湿我的床……

大乔?

你还嫌自己说得不够多吗?干脆把你的地址和电话都留给他得了!

你们就是那个骚扰街区已久的盗窃团成员吧？
没错，我们就想找点儿乐子。
年轻人一旦无聊，什么事情都做得出来……
我们就喜欢给别人制造麻烦。
我喜欢收集电视机遥控器，于是我专偷电视机遥控器。
然后再回到偷东西的地方，遥控他们的电视机，把他们逼疯。
咔
可以说，电视机遥控器的遥控距离大得惊人。

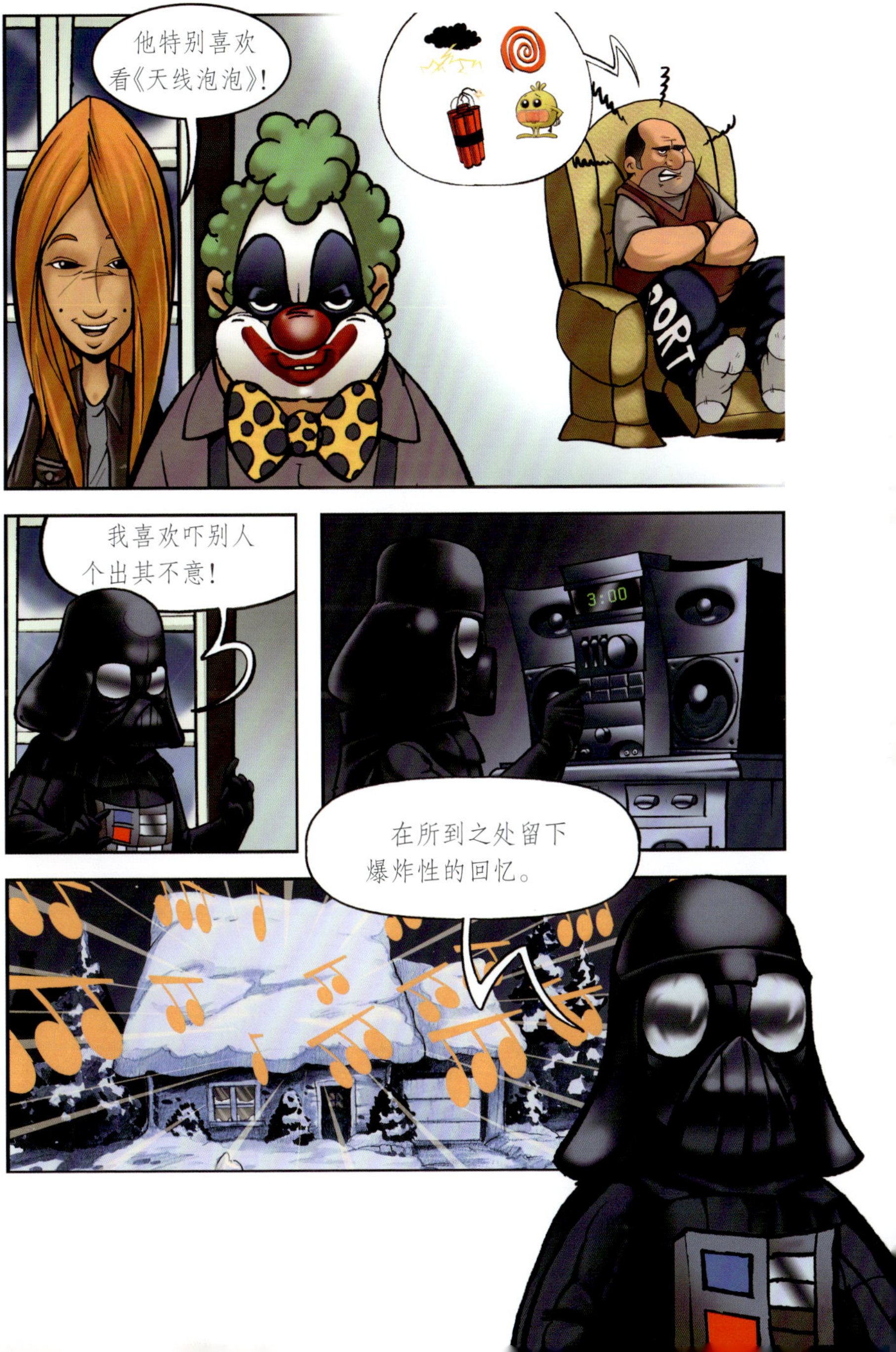
他特别喜欢看《天线泡泡》！
我喜欢吓别人个出其不意！
3:00
在所到之处留下爆炸性的回忆。

我喜欢偷汽车钥匙。

哔!哔!哔!

哈哈哈!

今晚还有一个收获,你看见没?

啊!这不是范·德·格拉夫的静电发生器吗?他们居然还潜入了我朋友的家,并且偷走了他的设备!

没错！我们学校有个类似的玩意儿，可以用来产生静电。

嘀嗒

别耽误太久，万一他的父母回来……

还有一段时间呢！我很想看看这玩意儿是怎么运行的……

只要通上电就行。

他们把静电发生器放在桌子上，并接通电源。机器开始运行，发出轻微的爆裂声。静电球闪烁着耀眼的电光。

滋滋滋

哈哈哈！你们看见了吗？我的头发都竖起来了！

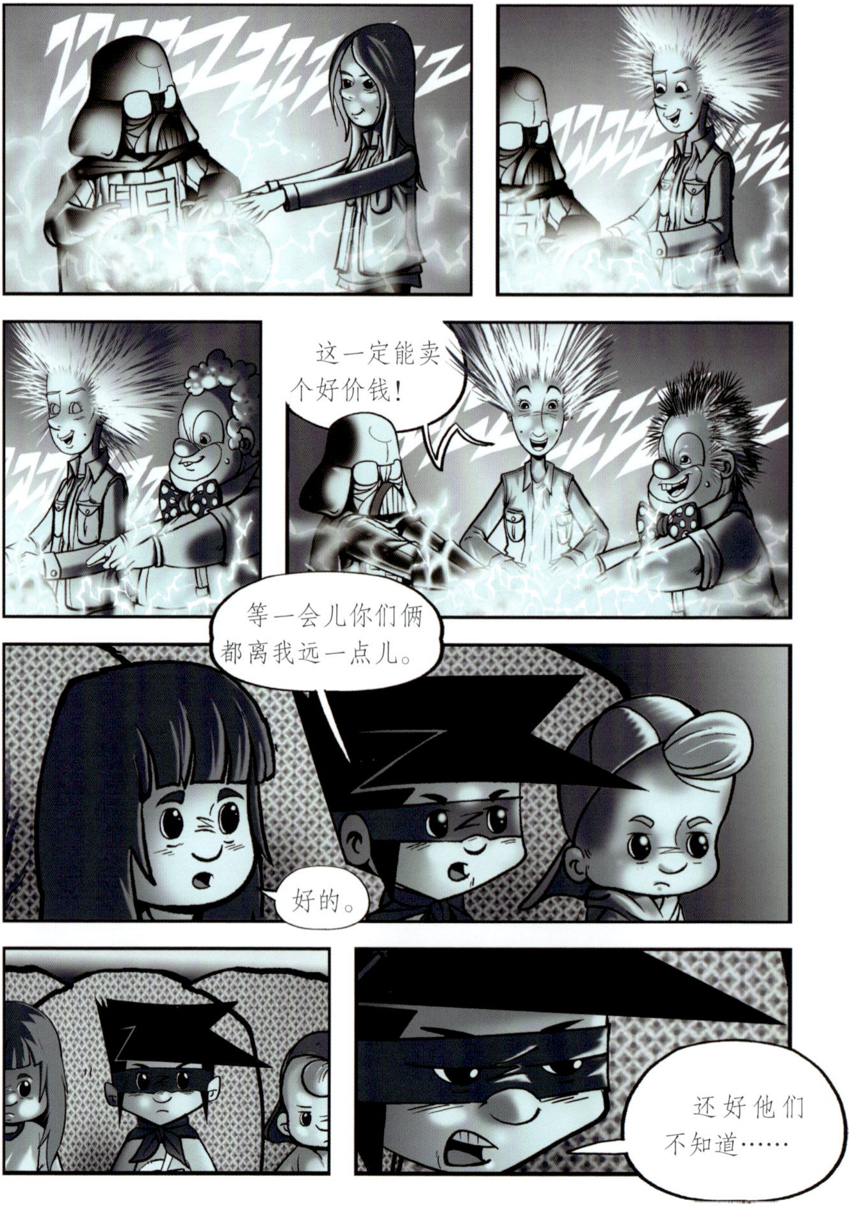
这一定能卖
个好价钱！
等一会儿你们俩
都离我远一点儿。
好的。
还好他们
不知道……

不知道什么？你们对我们隐瞒了什么？
什么？毛孩子在密谋？赶紧老实交代，不然的话……
不！我们绝对不会告诉你们可以用静电来对付我们……
你说漏嘴啦！
查理特别害怕静电……
不！你们不能用静电折磨我！

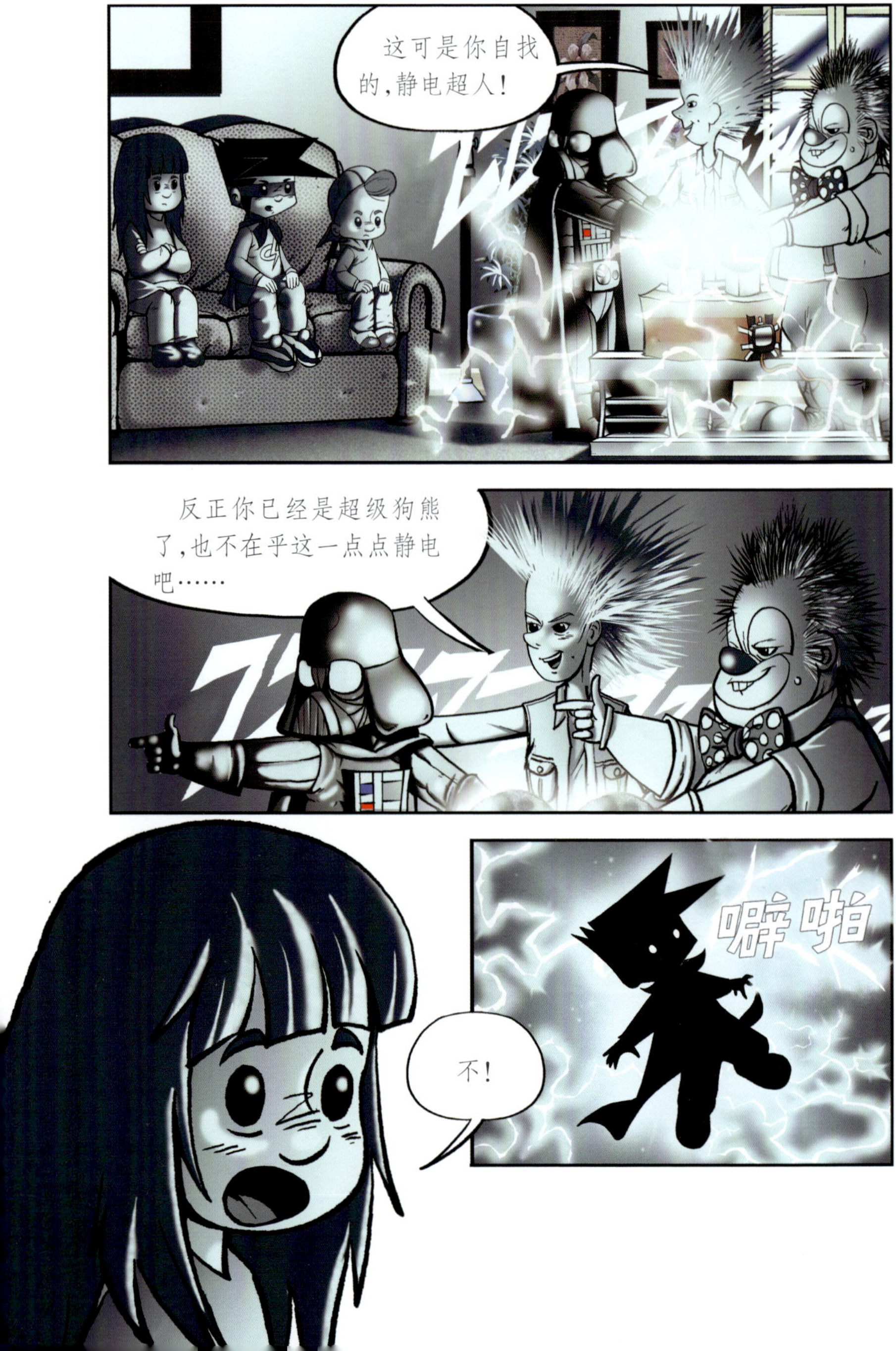
这可是你自找的，静电超人！
反正你已经是超级狗熊了，也不在乎这一点点静电吧……
噼啪
不！

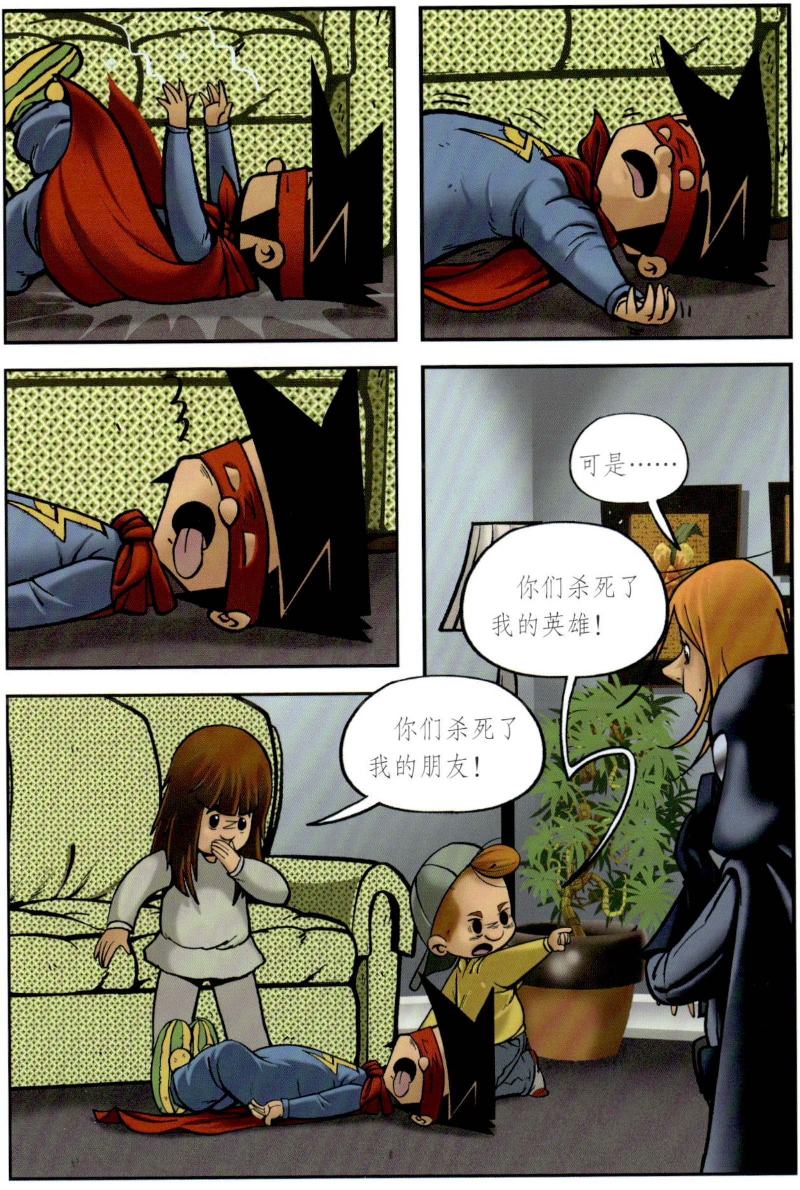
可是……
你们杀死了我的英雄！
你们杀死了我的朋友！

第5章

我倒在地板上，双眼紧闭，纹丝不动，等着将要发生的事情。客厅里一片寂静。只有静电发生器不时轻微作响。

> 毛孩子不过是昏倒了而已。

> 刚才的静电没有那么强大。

> 但你们是三个人同时朝他发射的呀！

> 原来这是一台可以致人死亡的机器！我得赶紧开溜。我可不想背上重罪。

我能感觉到"保姆"来到了我身边。她触碰了一下我的肩膀，立刻遭到一次电击。完美——我正想测试一下他们给我的电量够不够呢！现在我有十足的把握，知道接下来该怎么做了。我飞快地从地上爬起来。

谢谢你们这个可笑的"三人组"，让我重新满"电"复活！

达斯·维德，拿绳子来……快！我们已经耽误得够久了！

静电超人没有死！

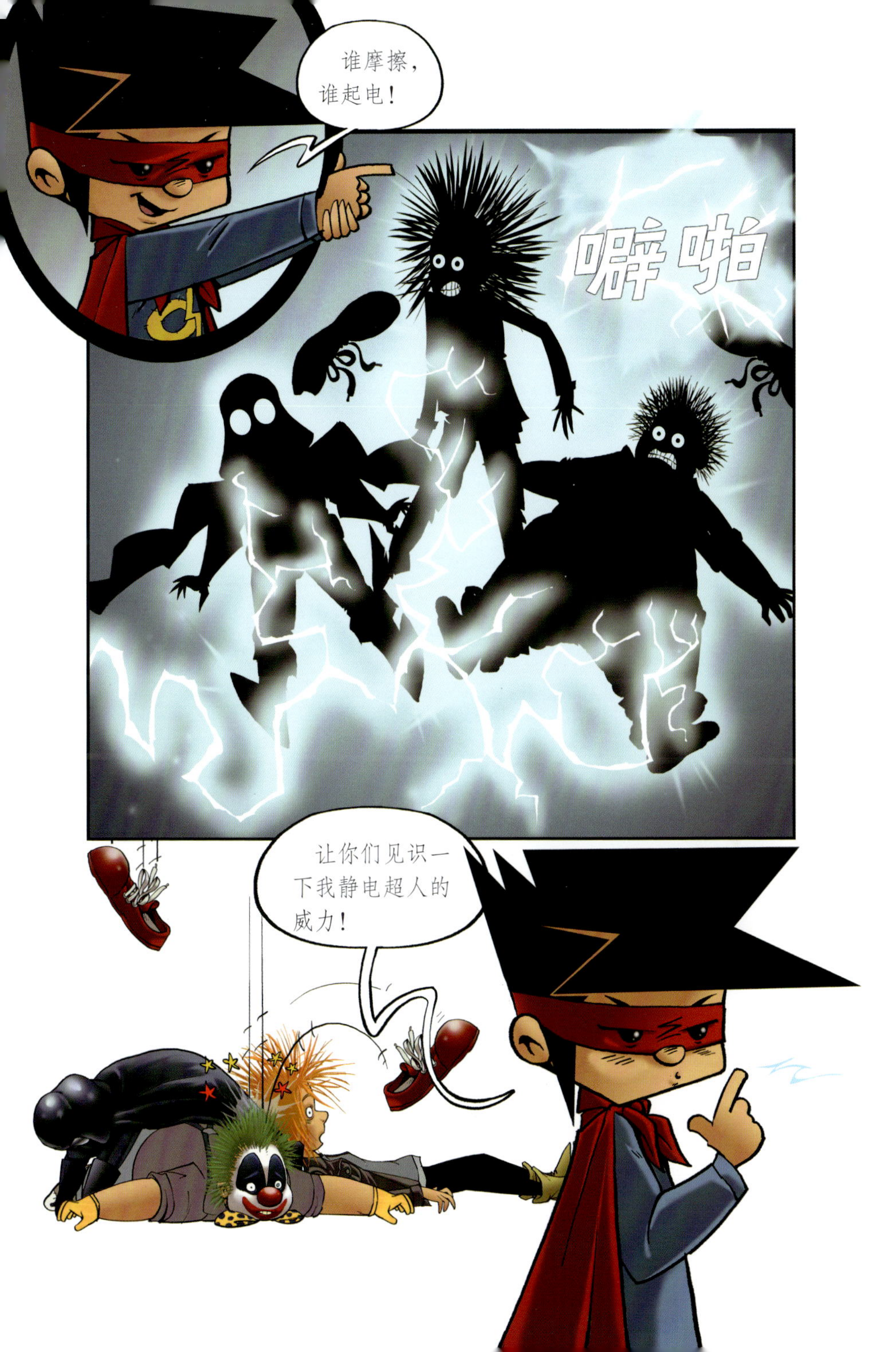
谁摩擦，
谁起电！
噼啪
让你们见识一下我静电超人的威力！

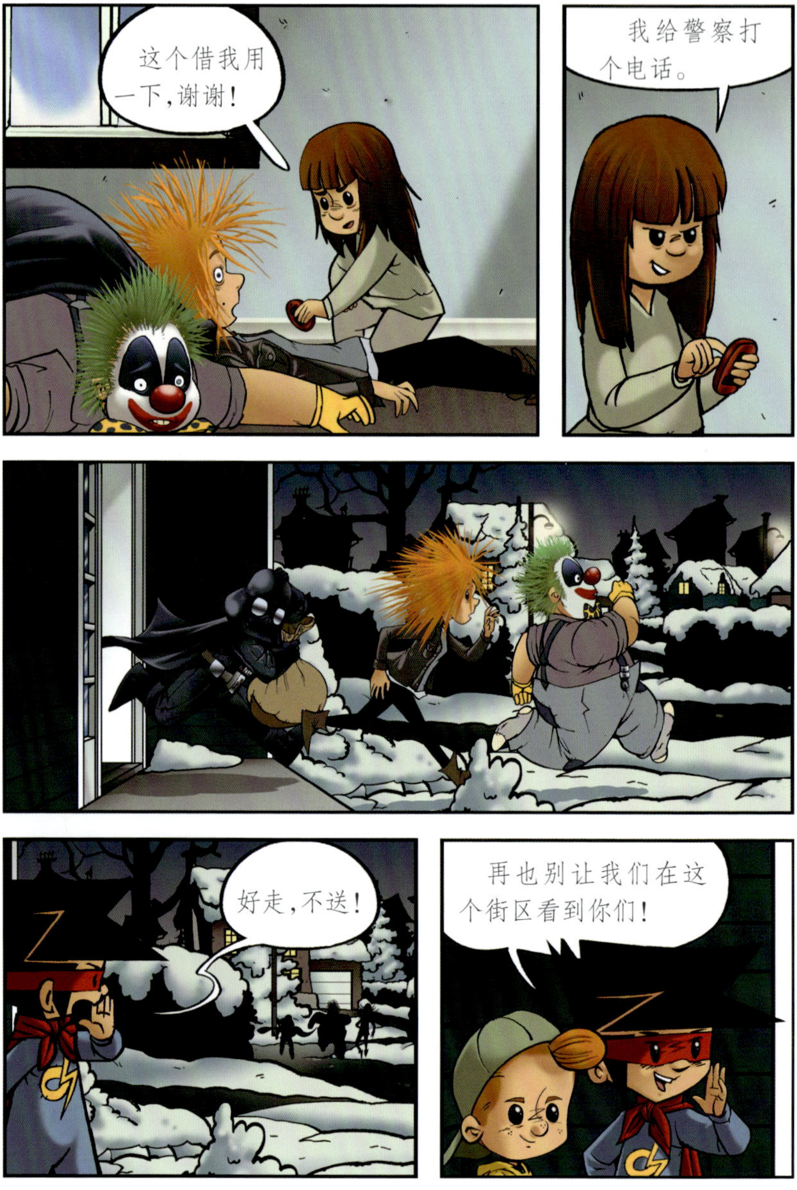
这个借我用一下，谢谢！
我给警察打个电话。
好走，不送！
再也别让我们在这个街区看到你们！

警察很快就会来抓这些小偷儿的。
我已经把他们的相貌特征告诉警察了。
叮 咚
呃……我走得太急，忘了穿鞋。
你们所说的小偷儿，就是他们吧？
没错，你们抓得很准。

查理，这是什么情况？
多亏你们的儿子和他的朋友们，我们抓住了三个小偷儿。
是你？
我把他们带回警局。今晚应该可以破获多个案件。
你可以不用再笑得像个傻瓜了！
我化了装，傻瓜！
你好，小丑先生！
我跟你没完，静电超人！

在被警察带走之前，罗莎莉转向我，用崇拜的眼神看了我一眼。

你平安无事就好。

可不是拜你所赐他才平安无事的，保姆小姐！

这个还给你，我可不是小偷儿！

我可以告诉别人，我曾经照看过静电超人！

亲爱的，你能送佩内洛普和弗雷德回家吗？
没问题。汽车钥匙是不是在你那儿？
没有呀，明明是你拿了车钥匙……
我建议你们去车里找找。
我与朋友们道别，谢谢他们陪伴我度过了这个动荡之夜。
今晚我们一点儿都不无聊！
我会打电话给范·德·格拉夫。他的设备简直太好用了！
再见，静电超人。

车钥匙果然在车里,但是车门却被锁住了……

亲爱的,你知道今晚的事情意味着什么吗?

意味着我们应该叫一辆出租车?

意味着我们得重新找一个保姆?

妈妈把我拥进怀里。啊!这种感觉真好!就连超级英雄都很享受妈妈的怀抱!妈妈身上散发出一种好闻的香味……那是"野兰花与香草之吻"的味道!

不!这意味着我们的查理已经长大了,完全可以照顾自己了!

是呀!我们的小宝贝已经长大了!

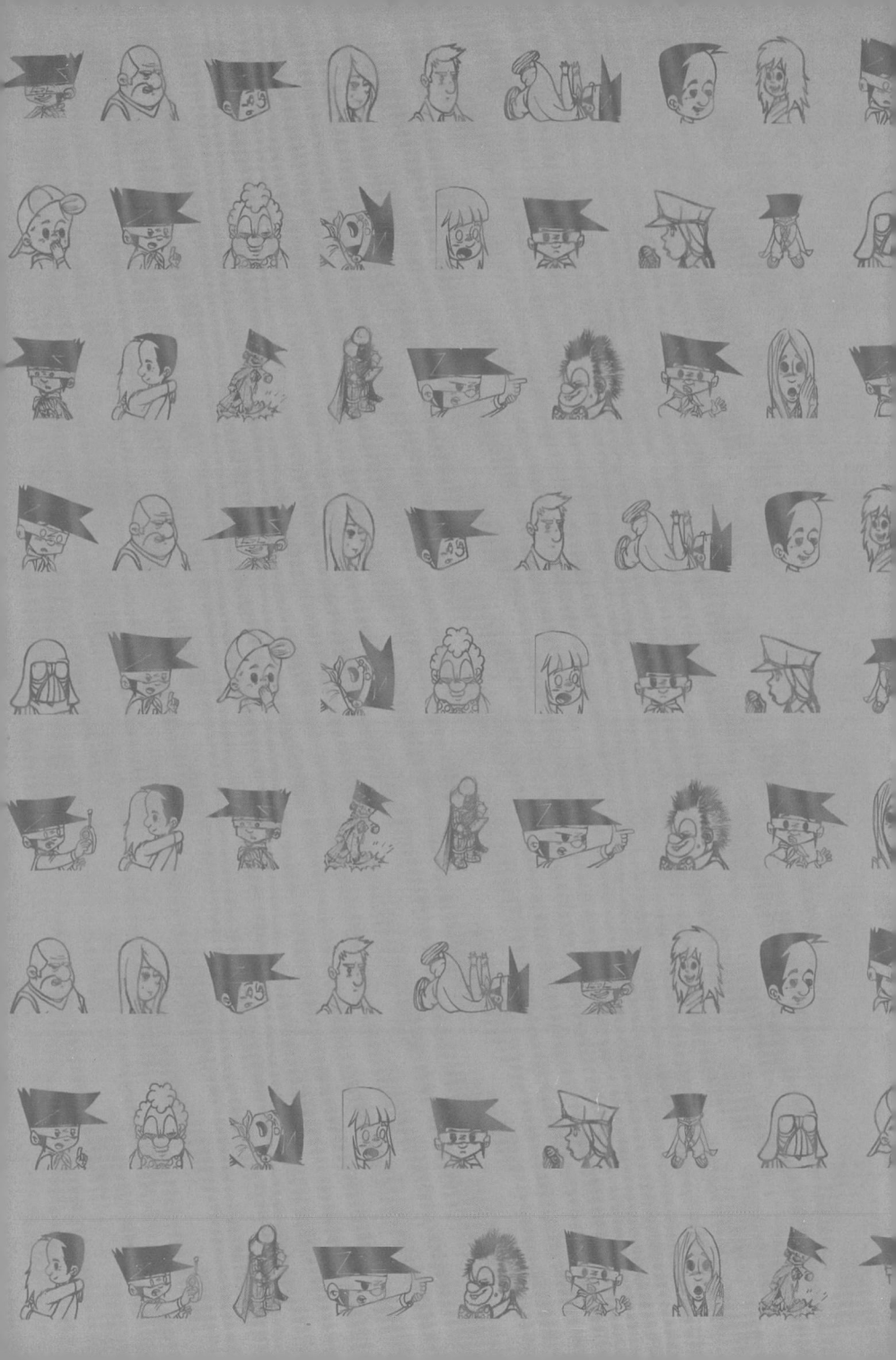